An Ceapaire Sgreamhail

Le Gareth Edwards

Dealbhan le Hannah Shaw

acair

Ann am bad chraobhan air oir pàirce
bha broc a' fuireach. 'S e broc acrach a bh' ann
agus cha sguireadh a mhionach a rùchdail.

Aon latha thàinig balach dhan phàirce.
Bha ceapaire aige,
fear le aran ùr geal agus ìm blasta.

'S e ceapaire

àlainn

a bh' ann.

Thug am balach an ceapaire aige dhan raon-chluiche.

Bha e dìreach a' dol ga ithe nuair
a bhuail nighean bheag ann agus thuit
an ceapaire dhan t-sloc-ghainmhich.

Bha an t-aran geal a-nis
còmhdaichte le gainmheach.

"Àa," ars an nighean bheag, "chan urrainn
dhut an ceapaire sin ithe a-nis.
Tha e sgreamhail."

Lorg feòrag an ceapaire.
Cha robh diofar leathase mun
ghainmhich.

Thug i an ceapaire leatha gu mullach craoibhe
gus am faigheadh a' chlann aice blasad dheth.

Ach chaidh iadsan a-mach air a chèile ...

... agus thuit an ceapaire sìos bhon chraoibh ...

... a-steach a lòn.
"Àa," ars an fheòrag mhòr,
"chan urrainn dhuinn an
ceapaire sin ithe a-nis.
Tha e sgreamhail."

Chunnaic losgann an ceapaire. Bha e a' seòladh air uachdar an lòin
còmhdaichte ann an stuth grànda uaine agus fàileadh dheth
mar uighean lobhte. Cha robh diofar leis an losgann mun ghainmhich
agus am fàileadh grànda. Shlaod e an ceapaire a-mach airson ithe air an rathad.

Ach cò chaidh seachad na dheann
ach balach air sgùtair
agus b' fheudar dhan losgann
leum a-mach às a rathad.

A-nis bha làraich mhòra dhubha
tarsainn air meadhan a' cheapaire.
"Àa," ars an losgann,
"chan urrainn dhomh an ceapaire sin ithe a-nis.

Tha e sgreamhail."

'S ann a chunnaic starrag
an ceapaire.

Cha robh diofar leathase
mun ghainmhich,
no mun stuth ghrànda
uaine agus na làraich
mhòra dhubha.

Thug i leatha an ceapaire bhon rathad agus sgèith i le fruis suas dhan chraoibh airson gum biodh e aig a màthair.

Ach chuir itealan beag neònach feagal oirre agus thuit an ceapaire sìos ann an àite san robh biastagan a' fuireach.

"Àa," arsa màthair na starraig,
"chan urrainn dhòmhsa sin ithe a-nis.
Tha e sgreamhail."

Cha robh e fada gus an do lorg sionnach an ceapaire.

Cha robh diofar leis mun ghainmhich,
no mun stuth ghrànda uaine
agus na làraich mhòra dhubha,
no na bha siud de bhiastagan.
Thug e leis e mar phreusant dha
sionnach boireann air an
robh e eòlach.

Ach nuair a dh'fheuch e ri innse dhi cho àlainn 's a bha i,
thuit an ceapaire ann an tiùrr itean a bha timcheall aig an àm.

A-nis bha an ceapaire còmhdaichte le seann itean salach.
"Àa," ars an sionnach boireann,
"chan urrainn dhòmhsa sin ithe a-nis. Tha e sgreamhail."

Agus thug i breab dhan cheapaire
a-steach a mheasg nan
sìtheanan ...

... agus dh'fhalbh i a rùrach
am measg an sgudail.

BRAG!

A-staigh am measg nan sìtheanan,
bha seilcheagan. Cha robh diofar leothasan
mun ghainmhich, no mun stuth ghrànda uaine
agus na làraich mhòra dhubha, no mu na bha siud de
bhiastagan, no na seann itean salach. Ghluais iad a-null
's a-nall air uachdar a' cheapaire, a' fàgail clàbar sleamhain
de bhuilgeanan beaga às an dèidh.

Nochd a' ghealach.

Mu dheireadh nochd am broc.
Bha e na b' acraiche na bha e a-riamh.

Thug e sùil air a' cheapaire, còmhdaichte ann an gainmheach
agus stuth grànda uaine agus làraich mhòra dhubha agus
na bha siud de bhiastagan agus de sheann itean salach
agus an clàbar sleamhainn de bhuilgeanan beaga
a' deàlradh ann an solas na gealaich.

Thòisich a mhionach a' rùchdail.

Rùchdail ...
Rùchdail ...

Agus dh'ith e
na seilcheagan
gu lèir.

Ach cha do dh'ith e an ceapaire.
Bha e ro sgreamhail.

Dha Joseph, Imogen, Hester agus Kit,
mo chlann, a mhothaicheas dha broc
le comas – G.E.

Dha Ben, fear-sàbhalaidh sheilcheagan agus
fear tha dèidheil air ceapairean sgreamhail;
& Alison, Zoë agus Rebecca,
an sgioba iongantach! – H.S.

A' chiad fhoillseachadh am Breatainn an 2013 le
Leabhraichean Alison Green a bhuineas dha Scholastic Children's Books
Euston House, 24 Eversholt Street, Lunnainn NW1 1DB, UK
roinn dhe Scholastic Ltd
www.scholastic.co.uk
Lunnainn – New Iorc – Toronto – Sydney – Auckland
Mexico City – New Delhi – Hong Kong
Còraichean teacsa sa Bheurla © 2013 Gareth Edwards
Còraichean nan dealbhan © 2013 Hannah Shaw

Tha Gareth Edwards agus Hannah Shaw a' dleasadh an còraichean a bhith air aithneachadh
mar ùghdar agus neach-deilbh na h-obrach seo.

1 3 5 7 9 10 8 6 4 2

A' chiad fhoillseachadh sa Ghàidhlig an 2015 le Acair Earranta
An Tosgan, Rathad Shìophoirt, Steòrnabhagh, Eilean Leòdhais HS1 2SD
info@acairbooks.com   www.acairbooks.com

A' Ghàidhlig Norma NicLeòid
© an teacsa Ghàidhlig Acair
An dealbhachadh sa Ghàidhlig Mairead Anna NicLeòid

Tha Acair a' faighinn taic bho Bhòrd na Gàidhlig.

Fhuair Urras Leabhraichean na h-Alba taic airgid bho Bhòrd na Gàidhlig le
foillseachadh nan leabhraichean Gàidhlig *Bookbug*.

Gheibhear clàr catalog CIP airson an leabhair seo ann an Leabharlann Bhreatainn.

Tha am pàipear a bhios Scholastic Children's Books a' cleachdadh air a dhèanamh bho
fhiodh air fhàs ann an coilltean seasmhach.

ISBN 978-0-086152-593-5

Clò-bhuailte ann an Malaysia